Comment
capturer
un farfadet

Catalogage avant publication de Bibliothèque et Archives Canada
Wallace, Adam
[How to catch a leprechaun. Français]
Comment capturer un farfadet / Adam Wallace ; illustrations de Andy Elkerton ; texte français d'Hélène Rioux.
Traduction de: How to catch a leprechaun.
ISBN 978-1-4431-6831-1 (couverture souple)
I. Elkerton, Andy, illustrateur II. Titre. III. Titre: How to catch a leprechaun. Français
PZ24.3.W35Cof 2018 j813'.6 C2017-906650-1

Édition publiée par les Éditions Scholastic, 604, rue King Ouest, Toronto (Ontario) M5V 1E1.

5 4 3 2 1 Imprimé au Canada 119 18 19 20 21 22

Les illustrations ont d'abord été dessinées à la main, puis mises en couleurs avec des pinceaux numériques conçus par l'artiste.
Conception graphique de la couverture : Sourcebooks, Inc.

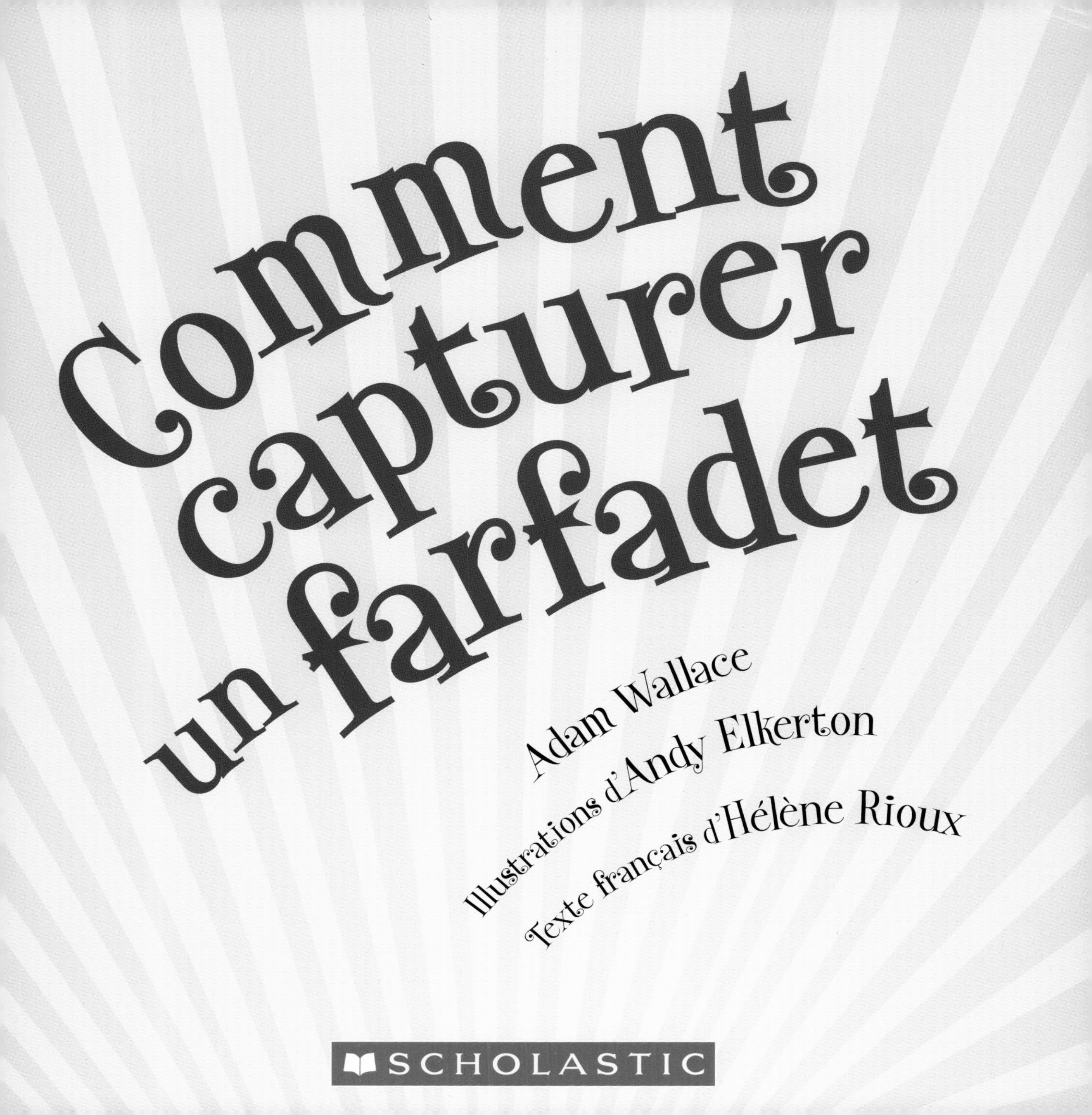

Comment capturer un farfadet

Adam Wallace
Illustrations d'Andy Elkerton
Texte français d'Hélène Rioux

SCHOLASTIC

Dans la nuit noire, rien ne trouble le silence.
C'est bientôt LA FÊTE DES IRLANDAIS.
Un bonhomme tout vêtu de vert s'avance.
Méfie-toi! C'est un farfadet!

Je volerai les lacets
de tes souliers.
Je te saupoudrerai
de brillants.

Fais attention de ne pas trébucher
sur les PIÈCES D'OR
que je répands.

Jamais tu ne m'attraperas.
Je mettrai tout à l'envers,
tout sens dessus dessous, tu verras.
Je peindrai la cuvette en **vert!**

Vert
émeraude

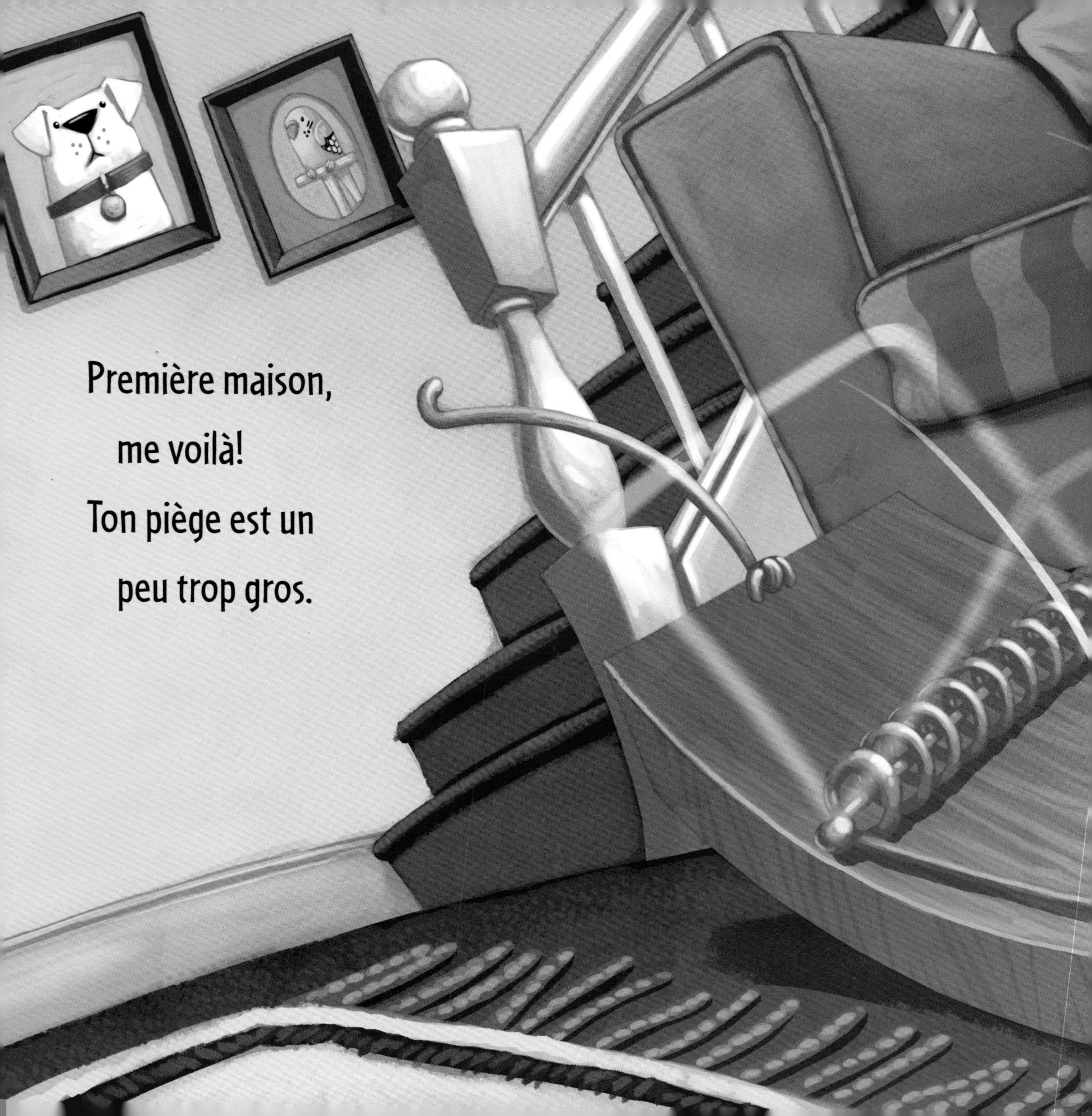

Première maison,

me voilà!

Ton piège est un

peu trop gros.

Te moquerais-tu de moi?
Je ressors au grand GALOP!

Une boîte à souliers au bout d'un bâton?

Cette fois, mon ami, tu t'es surpassé.

Non, je ne mordrai pas à l'hameçon...

et je danserai la **gigue** avant

de m'échapper!

Une autre maison...

Tiens donc, des chaussures!

Tu m'as laissé des noix, c'est gentil!

Je les mangerai toutes, je t'assure,

puis je m'en irai. Au revoir et merci!

Du **thé de pissenlit**! Quelle vision agréable!

Mais je suis bien trop rapide.

Vois-tu, je suis imbattable

et je vais repartir comme un bolide.

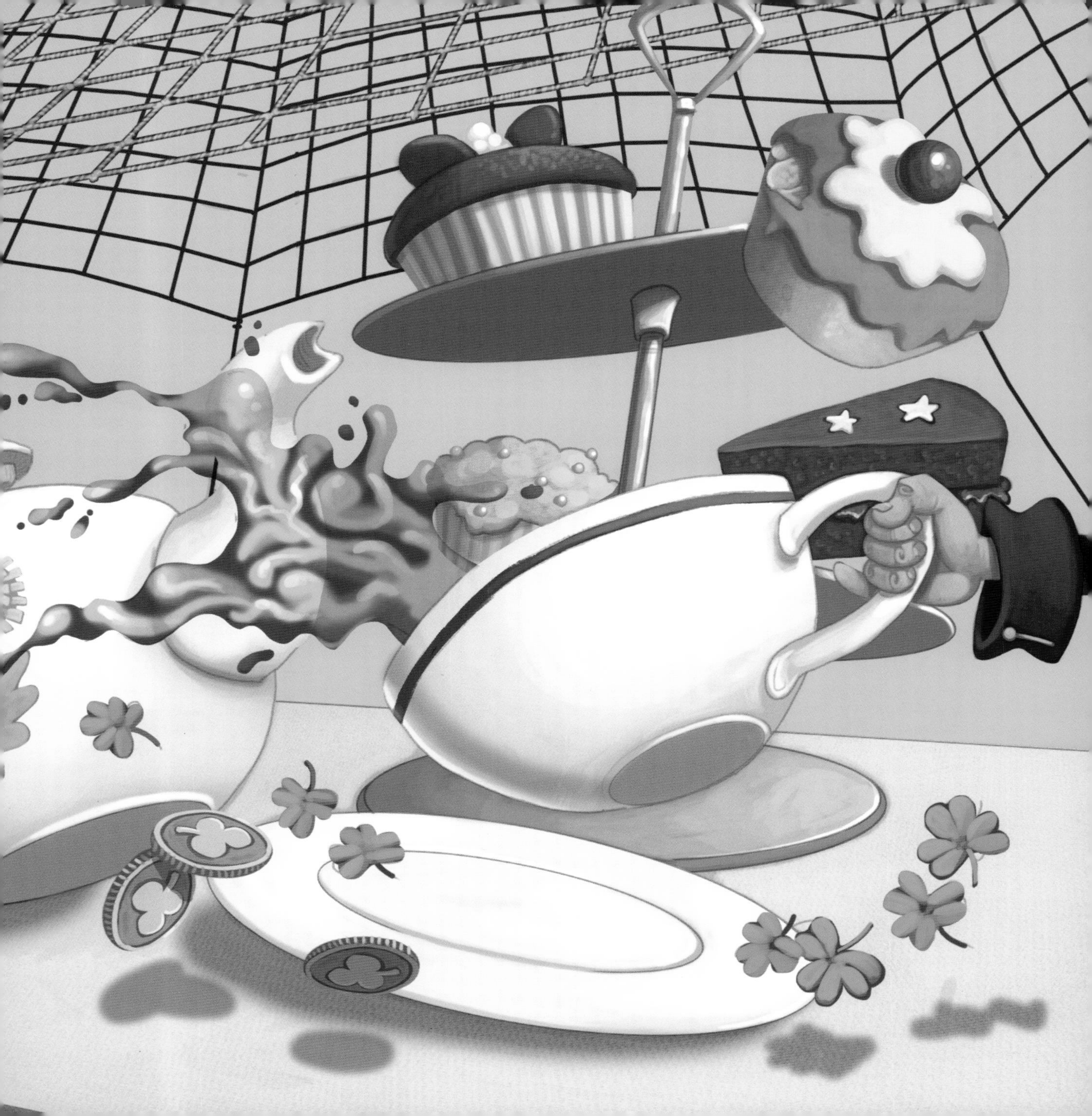

Tu convoites mon trésor, je sais.

Quelle bonne idée,

cette **CAGE DE FER!**

Mais je ne tomberai pas dans tes filets.

N'oublie pas que je suis bicentenaire.

Ha ha ha ha ha!

Ton piège est très raffiné
et ton accueil plutôt charmant.
Mais je disparaîtrai sans tarder,
comme un danseur très élégant.

Je parie que c'est un **ingénieur**

qui a inventé ce bidule.

Je l'évite et sors à toute vapeur.

Tu vois, je ne suis pas si nul.

DIPLÔME

Tu es vraiment un petit futé.

Il y a des pièges

jusqu'au plafond.

Mais rien ne peut me décourager;

je vais explorer

TOUTE TA MAISON.

Ton énorme **ROBOT ANTI-FARFADETS**

n'a pas réussi à me capturer.

Il m'a donné la chair de poule, c'est vrai.

Mais sans trèfle à quatre feuilles, c'est raté!

Un farfadet est trop agile.
Tu ne l'attraperas jamais,
à moins qu'un garçon ou une fille
n'invente un jour le piège parfait.

Seras-tu cet enfant malin...

qui réussira
l’an prochain?